Guía de lectura

Escrita por Nadège Nicolas
Traducida por Marta Sánchez Hidalgo

El Alquimista

de Paulo Coelho

Resumen
Express.com
Guía de lectura
Cincuenta
sombras
de Grey
de E. L. James

PAULO COELHO

NOVELISTA Y DRAMATURGO BRASILEÑO

- **Nacido en 1947 en Río de Janeiro (Brasil)**
- **Algunas de sus obras:**
  - *El peregrino (Diario de un mago)* (1987), novela
  - *El Alquimista* (1988), novela
  - *El demonio y la señorita Prym*, (2000), novela

Paulo Coelho nace en Río de Janeiro en 1947. A los 23 años se va de Brasil para recorrer América del Sur (México, Perú, Bolivia y Chile), Europa y África del Norte. Vuelve a su país dos años más tarde y se enfrasca en el universo musical trabajando como compositor de canciones populares, como periodista especializado en música brasileña y, finalmente, como empleado en PolyGram (compañía discográfica estadounidense). Sin embargo, la llamada al viaje y su búsqueda de espiritualidad son más fuertes, y vuelve a irse en 1982.

Para su primer libro, *El peregrino (Diario de un mago)*, publicado en 1987, se inspira en su propia experiencia en el Camino de Santiago (España). Desde entonces, Paulo Coelho sigue publicando con regularidad y cosecha éxito entre el público (Gran Premio de las Lectoras de *Elle* en 1995) y sus iguales (elegido parte de la Academia de Letras de Brasil en 2002).

EL ALQUIMISTA

UNA BÚSQUEDA ESPIRITUAL

- **Género:** cuento filosófico
- **Edición de referencia:** Coelho, Paulo. 2009. *El Alquimista*. Traducido por Montserrat Mira. Barcelona: Planeta
- **Primera edición:** 1988
- **Temáticas:** misticismo, viaje, religión, identidad, búsqueda, recorrido iniciático

El Alquimista cuenta la historia de Santiago, un joven pastor andaluz que abandona su España natal y sus ovejas para partir en busca de un tesoro que piensa que está oculto a los pies de las pirámides de Egipto. El viaje del joven se ve puntuado por numerosos encuentros y por experiencias que le llevarán a su tesoro, pero sobre todo por el descubrimiento de su propia identidad.

El Alquimista, una novela filosófica inspirada en un cuento de Jorge Luis Borges (escritor argentino, 1899-1986), recuerda que cada uno es libre de cumplir sus sueños y de estar en armonía con sus deseos. Publicado en un centenar de países y traducido a una cincuentena de idiomas, es uno de los libros más vendidos de todos los tiempos.

RESUMEN

Una noche, un joven pastor llamado Santiago sueña que un niño le guía hasta las pirámides de Egipto y le dice: «Si vienes hasta aquí, encontrarás un tesoro escondido»[1]. Pero Santiago se despierta antes de conocer el emplazamiento exacto. En cualquier caso, este sueño le hará tomar la decisión de embarcarse en un largo viaje que le lleve de Andalucía a Gizeh.

El relato se abre con el personaje del Alquimista, que descubre una antología de Oscar Wilde (escritor irlandés, 1854-1900) en la que lee un texto inspirado en la leyenda de Narciso, pero cuyo fin ha sido cambiado: el lago llora la muerte del joven, en cuyos ojos disfrutaba contemplando su reflejo.

¿SABÍAS QUE...?

En la mitología griega, Narciso ve su propio reflejo en un lago y se enamora de sí mismo.

---

1. Todas las citas han sido traducidas por ResumenExpress.com

Se obsesiona tanto con su propia imagen que acaba enloqueciendo y muriendo ahogado.

Santiago, un joven pastor con sed de descubrimientos, se detiene en una vieja iglesia para pasar la noche. Se alegra ante la idea de conocer próximamente a una joven que le había cautivado el año anterior. El encuentro y la decisión de Santiago de ser pastor para descubrir el mundo y tomar así las riendas de su destino se cuenta a través de dos *flashbacks*.

En Tarifa (España), una adivina acepta interpretar su sueño, pero le reclama una décima parte del tesoro. La anciana afirma que se trata de un sueño muy complicado, ya que forma parte del Lenguaje del Mundo. Santiago, decepcionado por lo absurdo de la predicción, se marcha.

Tras este encuentro, un anciano llamado Melquisedec, que asegura ser el rey de Salem, le aborda y le afirma que le indicará cómo conseguir el tesoro escondido a cambio de la décima parte de su rebaño. Según él, este tesoro constituye la Leyenda Personal del pastor, la misión que debe cumplir en la Tierra. Gracias a Melquisedec, Santiago decide comenzar su búsqueda. Los dos hombres se vuelven a ver a la mañana siguiente, y el rey aconseja a Santiago que esté atento a las señales y que tome las decisiones solo a partir de ese momento. Para ayudarle, le regala dos piedras de adivinación: Urim y Tumim.

Entonces, Santiago vende su rebaño y se va a África, a Tánger (Marruecos). No entiende ni la lengua árabe ni las «cosas infieles» (Coelho 2009, primera parte) locales. Es ingenuo y le roban el dinero. Al principio se siente desolado, pero las piedras Urim y Tumim le devuelven la esperanza y decide escuchar las señales y seguir adelante con su viaje.

A la mañana siguiente se encuentra con un vendedor de cristales y limpia su mercancía a cambio de comida. Al final, este le propone que trabaje para él para obtener el dinero que necesita para reanudar su periplo. Como está decidido a hacer lo que sea necesario para hacer cumplir su Leyenda Personal, Santiago acepta quedarse el tiempo que haga falta.

El joven intenta le propone al mercader cambios para mejorar su trabajo, pero este último se muestra reticente a las innovaciones: no entiende la necesidad de cambio. Le pregunta a Santiago las razones que le empujan a querer llegar a las pirámides cuando podría construir una en su jardín, a lo que el joven responde: «Usted nunca soñó con viajar».

Entonces, el mercader le explica las cinco obligaciones del islam, entre las que se encuentra la peregrinación a La Meca (Arabia Saudí). Dice que prefiere soñar con este viaje en lugar de hacerlo, porque tiene miedo de que, una vez hecho, ya no tenga razón de vivir.

Casi un año después de su llegada, Santiago anuncia su partida al mercader. Reemprende su marcha y se encuentra por el camino con un inglés que busca un alquimista. Los dos van en la misma caravana en dirección a al-Fayum (Egipto). El inglés le presta a Santiago sus libros de alquimia, pero este no entiende nada salvo que todos comparten una misma idea: «Todas las cosas eran manifestaciones de una sola cosa».

Santiago discute también con un camellero. Este le cuenta que amenaza con estallar una guerra entre clanes, pero que no teme nada porque él vive únicamente en el presente: «No vivo ni en mi pasado ni en mi futuro. Solo tengo el presente, y es lo único que me interesa», una idea que influirá en gran medida en el comportamiento futuro de Santiago.

La caravana llega al oasis donde se aloja el Alquimista. Mientras lo busca, Santiago conoce a Fátima, de la que se enamora y por culpa de la que siente la tentación de abandonar su periplo. Más tarde, al observar el vuelo de unos gavilanes, el pastor tiene la visión de una batalla cercana y se la comunica al jefe de la tribu. Su visión es exacta, por lo que es nombrado consejero.

Al día siguiente, al final del combate, Santiago va a ver al Alquimista. Este le recuerda que debe cumplir con su Leyenda Personal para que todo lo que ha vivido hasta entonces tenga sentido. Ante las dudas del pastor, el Alquimista le cuenta lo que será de su vida si renuncia y, esa misma noche, Santiago le anuncia a Fátima su partida. Esta no le retiene y decide esperarle.

Cuando caminan a través del desierto, el Alquimista le enseña a Santiago a escuchar a su corazón. Le enseña el Lenguaje del Mundo y le anima a seguir cada señal. Por el camino se enfrentan a soldados que los toman por espías, pero el compañero de Santiago lo presenta como un alquimista capaz de transformarse en viento. Entonces, los soldados quieren ver el milagro, pero para que este se realice son necesarios tres días de preparación.

Tres días más tarde, el pastor realiza la hazaña dirigiéndose al desierto, al viento, al sol y, finalmente, a la «Mano que todo lo ha escrito». Entonces, el viento comienza a soplar con tal fuerza que los árabes del desierto contarán «durante generaciones [...] la leyenda de un muchacho que se había transformado en viento, que casi había destruido un campamento militar, desafiando el poder del general más importante de la guerra».

Luego llegan a un monasterio donde el Alquimista le muestra cómo transformar el plomo en oro. Divide el metal en cuatro partes: una para él, otra para Santiago y dos para el monje con el que se han reunido (una como agradecimiento y la otra por si el joven pastor la necesitara en un futuro).

Cuando llega a las pirámides, Santiago se deja guiar por su corazón y excava donde este le indica murmurándole al oído: «Presta atención al lugar en el que llorarás. Porque ahí estoy yo, y ahí está tu tesoro».

Allí le atacan, y termina por confesar a sus agresores que busca un tesoro que se le ha aparecido en sueños. Uno de los hombres le replica que es estúpido y, sin ser consciente de ello, le indica al joven dónde se encuentra realmente el tesoro: a los pies del sicómoro de la vieja iglesia andaluza. Se trata en realidad de la iglesia en la que el joven pastor había dormido antes de comenzar su aventura, por lo que decide ir.

Por el camino recuerda el recorrido para llegar a su tesoro y se acuerda de que debe darle una décima parte a la gitana. Entonces, el viento comienza a soplar y posa en sus labios un beso de Fátima.

ESTUDIO DE LOS PERSONAJES

SANTIAGO

El héroe de la novela es este joven andaluz que, dos años antes del comienzo del relato, se opone a sus padres cuando rechaza tomar los hábitos y prefiere convertirse en pastor y recorrer el mundo. Santiago siente curiosidad y tiene sed de descubrimientos. Cuando viaja con su rebaño busca sin cesar nuevos caminos.

En su opinión, lo esencial es poder vivir su Leyenda Personal, ese proyecto particular que todos tenemos y cuyo cumplimiento depende de nuestra capacidad de luchar por nuestros deseos profundos: «Es justamente la posibilidad de realizar un sueño lo que hace que la vida sea interesante».

Como todo el mundo, Santiago se enfrenta a las vicisitudes de la existencia y llega a dudar. Sin embargo, está extremadamente atento a las señales y demuestra audacia y determinación para realizar lo que le importa verdaderamente. Aunque a veces se desanimar, este estado no dura mucho y siempre encuentra una nueva razón para avanzar. Así, cuando el vendedor de cristales le cuenta que viajar a Egipto es muy caro, Santiago cambia rápido de objetivo y acepta trabajar hasta tener el suficiente dinero para volver a comprar ovejas.

A la escucha del mundo y de sí mismo, Santiago refleja la parte soñadora que todo el mundo tiene en su interior. Destaca por una apertura a los demás y a la vida típica de los niños. Al crecer, el adulto olvida sus verdaderos deseos o los entierra relegándolos al estatus de «sueños de niño» y oponiéndolos a una actitud «razonable». El personaje de Santiago nos recuerda que somos dueños de nuestro destino y que vale la pena perseguir nuestros deseos.

EL ALQUIMISTA

El Alquimista es el personaje que da nombre a la novela. Es un hombre misterioso, ya que el lector desconoce su nombre, su edad —el inglés calcula que tiene unos doscientos años— y su procedencia. La novela tampoco ofrece datos acerca de su apariencia física. La única descripción del personaje tiene lugar cuando se encuentra con Santiago:

> «Encima del caballo se encontraba un caballero todo vestido de negro, con un halcón sobre su hombro izquierdo. Usaba turbante, y un pañuelo le cubría todo el rostro, dejando ver sólo sus ojos. Parecía un mensajero del desierto, pero nunca había conocido a una persona con una presencia tan fuerte».

Solo se define por su especialidad, la alquimia, y por su capacidad de interpretar las señales. Su única función en el relato es guiar a Santiago en la búsqueda de su Leyenda Personal, aunque esto no tiene nada que ver con la alquimia tradicional. Para el joven pastor, detenta un papel de mentor, y simplemente va a colocar a Santiago «en el camino, en dirección a [su] tesoro».

Su postura es distinta con el inglés que quiere convertirse en alquimista, porque el Alquimista considera que aún no está listo. Le anima a pasar a la acción sin revelarle los secretos de la disciplina. El personaje principal es un verdadero Alquimista, porque ha aprendido esta ciencia de sus ancestros y se desplaza con un «frasquito de cristal lleno de líquido y un huevo de cristal amarillento, poco mayor que un huevo de gallina», que son «la Gran Obra de los alquimistas».

La alquimia

La alquimia es una práctica que se ejerce sobre todo en la Edad Media y en el Renacimiento. Consiste en la investigación relativa a la transmutación de los metales preciosos y la panacea (un remedio médico milagroso). Con este objetivo, los alquimistas buscan crear la Piedra Filosofal (llamada a veces Gran Obra), capaz de transformar los metales viles como el plomo en oro y de crear el Elíxir de la Larga Vida. El más célebre es Nicolas Flamel (escribano público, copista y librero, c. 1330-1418), que nunca fue un verdadero alquimista, pero cuya fortuna empuja a sus contemporáneos a imaginar que procedía de la piedra filosofal.

La alquimia y la química, sinónimas durante siglos, se fueron diferenciado poco a poco: la química se ha convertido en una verdadera ciencia, mientras que la alquimia se considera una práctica esotérica, casi mágica. Actualmente, la palabra «alquimista» se utiliza en sentido figurado para hablar de alguien que busca una utopía.

LA VIEJA GITANA

La vieja gitana es la primera persona a la que Santiago conoce en Tarifa. Este le consulta para que ella le aclare su sueño del tesoro. Acepta que no se le pague directamente, pero pide una décima parte del tesoro. Según ella, interpretar un sueño semejante es muy difícil, pero al final no le dice nada nuevo al pastor. Para explicarse, le dice a Santiago que «[l]as cosas simples son las más extraordinarias».

MELQUISEDEC, EL REY DE SALEM

Melquisedec parece un pobre anciano, pero bajos sus harapos esconde un pectoral de oro y piedras preciosas. Aborda a Santiago y le propone indicarle cómo llegar a su tesoro a cambio de una décima parte de su rebaño. Le demuestra que no es un impostor al escribirle sobre la arena los nombres de los padres del joven y toda su vida, incluso «cosas que [Santiago] jamás había contado a nadie».

Este personaje es esencial en la búsqueda de Santiago, porque es el que le incita a tomar la decisión de partir. También es él quien introduce los conceptos de Leyenda Personal y de Principio Favorable (o suerte del principiante). Le regala a Santiago dos piedras de adivinación llamadas Urim y Tumim.

EL VENDEDOR DE CRISTALES

El vendedor de Tánger para el que Santiago trabaja casi un año nunca ha hecho el peregrinaje a La Meca ni tiene intención de hacerlo: soñar con este viaje se ha vuelto su razón de vivir, y realizarlo lo dejaría vacío.

Como está acostumbrado una vida sencilla y tranquila, no se fía de las ideas innovadores de Santiago para mejorar su comercio. Sin embargo, termina por ceder ante su empleado y ve cómo su actividad prospera.

EL INGLÉS

El inglés, compañero de caravana de Santiago, está en busca del Alquimista, que podrá ayudarle a descifrar los códigos y a descubrir el elixir de la vida eterna y la piedra filosofal. Solo cree en sus libros y no observa el mundo hasta que encuentra al Alquimista en el oasis. Entonces empieza a observar el desierto y a no contentarse solo con sus libros. En ese momento, se da cuenta de que ha de pasar a la acción y no tenerle miedo al fracaso. Así, comienza una nueva etapa en el cumplimiento de su Leyenda Personal.

FÁTIMA

Fátima, una joven del desierto de la que Santiago se enamora, es consciente de su papel y sabe que su destino es esperar el regreso del pastor al oasis. Santiago siente la tentación de quedarse a su lado, pero el Alquimista le hace darse cuenta de que, si renuncia a su búsqueda, Fátima y él serán infelices. Por el contrario, si su amor es puro, se volverán a encontrar pase lo que pase.

CLAVES DE LECTURA

UNA NOVELA INICIÁTICA

Una novela iniciática es aquella que sigue la evolución de un personaje en la comprensión del mundo. Esta búsqueda le lleva muy a menudo a descubrirse a sí mismo a través de una serie de pruebas. Este género, también conocido como novela de iniciación, cuento iniciático o recito de iniciación, nace en Alemania en el siglo XVIII y comporta las siguientes características:

> «El relato de iniciación (a un arte, a un saber o a un misterio) [...] sigue las etapas de la formación de un personaje [...]. Nos muestra a un protagonista joven (a menudo masculino), y a un Mentor, una serie de secuencias de aprendizaje y una fase de transición hacia una consciencia superior. Recurre a los sueños y los misterios y muchas veces postula que escapar a la realidad cotidiana es penetrar en lo no racional» (Aron *et al.* 2010, 519).

La obra clave del género es *Los años de aprendizaje de Wilhelm Meister* (1796) de Goethe (escritor alemán, 1749-1832).

En busca de la Leyenda Personal

En *El Alquimista*, al buscar su tesoro, Santiago se dirige en realidad al encuentro de sí mismo. Cada personaje que se cruza en su camino y cada experiencia que vive son etapas hacia el cumplimiento de su Leyenda Personal. El concepto de Leyenda Personal, inventado por Paulo Coelho, designa la misión que cada uno debe cumplir en la Tierra y que le permitirá encontrar la armonía. Según el rey de Salem, todo el mundo conoce la suya desde la infancia, pero a poco a poco «una misteriosa fuerza trata de convencerles de que es imposible cumplir la Leyenda Personal».

En efecto, a lo largo del relato, Santiago se enfrenta a diferentes obstáculos o tentaciones que ponen a prueba su voluntad y le sirven de aprendizaje. Al superarlos llega a encontrar su tesoro y a realizar así su Leyenda Personal. Entre estas pruebas destacan:

- el robo de su dinero. Para poder continuar su viaje, el joven pastor tiene que trabajar con un vendedor de cristales;
- la guerra de los clanes que inmoviliza la caravana en el oasis le da al joven pastor la oportu-

nidad de observar el desierto y las aves rapaces para combatir el aburrimiento. De hecho, es un gavilán el que provocará que tenga una visión sobre una tropa invadiendo el oasis. De esta forma, Santiago puede avisar a sus habitantes:

- el encuentro con Fátima hace que Santiago sienta «el Alma del Mundo [surgiendo] con toda su fuerza ante él».
- el arresto por los soldados, que le brinda la oportunidad de obrar un milagro y transformarse en viento. Los militares están tan impresionados que les ofrecen un escolta al Alquimista y a su discípulo Santiago para viajar en total seguridad hasta el monasterio copto.

El aspecto iniciático se caracteriza también por los numerosos encuentros de Santiago, que le ayudan a progresar en su búsqueda y en la reflexión sobre sí mismo. Destacan, por ejemplo:

- el rey de Salem, que le recomienda tomar sus propias decisiones;
- el camellero, que le aconseja vivir el momento presente;
- el Alquimista, finalmente, que le sirve de guía y de acompañante.

Todos estos encuentros, así como los acontecimientos y las experiencias vividas por el joven pastor, le acercan al cumplimiento de su Leyenda Personal, aunque él no siempre es consciente de ello.

LO MARAVILLOSO

La palabra «maravilloso» se refiere a un relato en el que lo sobrenatural —es decir, los fenómenos extraordinarios, que parecen escapar a la ciencia y a las leyes que rigen nuestro mundo— hacen irrupción en lo real a través distintas referencias a las ciencias ocultas (alquimia, magia), el sueño premonitorio, la religión como creencia en el destino, etc.

Una de las características del género es que toma prestados un gran número de elementos procedentes de distintas culturas: «Lo maravilloso engloba lo *magicus* y el *miraculum* y adquiere una gran densidad antropológica. Porque los motivos maravillosos creados por la imaginación religiosa, época, antigua, celta, esotérica [...] proclaman una estética que se nutre de préstamos de tradiciones diversas» (Aran 2010, 387). El personaje es guiado por una fuerza superior. De esta forma, los acontecimientos relatados descansan en un contrato de lectura: el lector sabe que algo no es plausible, pero lo acepta en el marco de la historia.

En esta novela, lo maravilloso acompaña la evolución del personaje principal. Su primer encuentro tiene lugar con el rey de Salem, que conoce toda la vida de Santiago a pesar de que nunca se habían visto. Le indica al pastor cómo llegar a África y le ofrece Urim y Tumim, «el único instrumento de adivinación autorizado por Dios». En efecto, los relatos maravillosos presentan a menudo este tipo de episodio: al principio del viaje o de su búsqueda, un personaje misterioso pero poderoso le entrega al protagonista un objeto mágico que le ayudará a cumplir su destino.

Más tarde, al final del libro, cuando Santiago ya no está muy lejos de las pirámides —y, por tanto, está a punto de cumplir su Leyenda Personal—, puede hablarle sucesivamente al desierto, al viento («El viento se acercó al muchacho y tocó su rostro. Había escuchado su conversación con el desierto, porque los vientos siempre lo saben todo»), al sol y al universo. Todos le responden: así es como el joven puede transformarse en viento y demostrar que puede sumergirse en el Alma del Mundo. Paulo Coelho utiliza en este punto una prosopopeya, es decir, una figura estilística frecuentemente empleada en el registro de lo maravilloso que consiste en hacer que un ser inanimado o una abstracción hable.

LA ACOGIDA DE *EL ALQUIMISTA*

La cuestión del género

Resulta difícil determinar el género de *El Alquimista*. Algunos lo califican de cuento filosófico, mientras que otros la califican de esotérica o incluso de obra de desarrollo personal. Paulo Coelho se considera «un contador de historias y cree que sus libros deberían encontrarse en la sección de literatura o de filosofía de una librería» (Arias 1999, 155). Nicolas Brucker, autor de un estudio sociológico sobre la recepción del libro entre los estudiantes de Lorena (Francia), lo califica de «libro de sabiduría» (Brucker 2003).

Rechazo de la crítica y reconocimiento del público

La falta de reconocimiento de la crítica en relación con la calidad literaria de sus textos afecta poco al escritor: «Creo que el éxito de mis libros, que muchos no se explican, se debe en parte a que ayudar a reconocerse a uno mismo en estos personajes en busca de aventuras espirituales. Mis libros están llenos de estas señales» (Coelho citado en Arias 1999, 38).

De hecho, son muchos los lectores que contactan con Paulo Coelho para decirle hasta qué punto su obra les ha cambiado. Para algunos, el autor es un gurú, pero Coelho desconfía de toda deriva sectaria ya que, en su opinión, la espiritualidad es algo personal. Así, en *El Alquimista*, Santiago conoce a personajes que le guían en su búsqueda haciéndole sugerencias, incluso poniendo de relieve ciertos elementos de cuya existencia el pastor ya era más o menos consciente, pero las decisiones las toma solo y no sigue ninguna orden.

TEMÁTICAS

El viaje

Para cumplir su Leyenda Personal, Santiago realiza un verdadero periplo. Desde el principio del relato, el viaje se presenta como «el gran sueño de su vida». Para realizarlo, desafía en primer lugar a su padre al hacerse pastor en lugar de tomar los hábitos. Entonces recorre Andalucía: «En dos años de recorrido por las planicies de Andalucía él ya se conocía de memoria todas las ciudades de la región, y ésta era la gran razón de su vida: viajar».

Sin embargo, rápidamente siente en el fondo de sí mismo la necesidad de ir más lejos, puesto que se imagina que un día podría vender los corderos y hacerse marinero. Al final será un sueño el que guiará sus pasos hasta las pirámides de Egipto, pasando por Tarifa (España), Tánger (Marruecos), el desierto, un oasis, etc.

Gracias a este periplo, Santiago descubrirá otras culturas y paisajes diferentes: «El desierto estaba hecho a veces de arena, a veces de piedra». Cuando vuelve a su punto de partida para encontrar su tesoro, Santiago se pregunta si no se podría haber evitado todo aquello, pero una voz le responde que sin ello nunca habría visto las pirámides («[...] escuchó que respondía el viento: "Si yo te lo hubiese dicho, tú no habrías visto las Pirámides. Son muy bonitas, ¿no te parece?"»). Tampoco habría conocido a Fátima.

En definitiva, Santiago comprende que el valor de su tesoro también reside en las pruebas que ha tenido que soportar para encontrarlo.

Las religiones

Santiago es español y cristiano. Ha estudiado Teología y habría podido ser sacerdote, pero su viaje africano le confronta a la religión islámica.

A su llegada a Tánger, afirma que lo que hacen los musulmanes son «cosas de infieles». Santiago se fija en «mujeres con el rostro cubierto y sacerdotes que sub[en] a altas torres y [comienzan] a cantar, mientras todos a su alrededor se arrodilla[n] y golpea[n] la cabeza contra el suelo».

Cuando habla con el vendedor de cristales, Santiago descubre constantemente cosas. Se entera de que el libro santo de los musulmanes es el Corán, y el vendedor le enseña las cinco obligaciones —o pilares— del islam:

- no hay otro dios que Alá y Mahoma (*c.* 570-632) es su profeta;
- hay que rezar cinco veces al día;
- hay que practicar el ayuno de ramadán (mes del año durante el que los creyentes tienen que respetar la abstinencia de carne, bebida, tabaco, perfume y relaciones sexuales entre la salida y la puesta del sol);
- todos los musulmanes tienen que mostrar caridad hacia los pobres;
- todos los musulmanes que tengan la capacidad financiera necesaria y que sean físicamente capaces de hacerlo deben realizar el peregrinaje a La Meca —al menos una vez en su vida—.

Además de estas referencias al islam, también encontramos alusiones al cristianismo, como la evocación de una iglesia y de una estatua de Santiago el Mayor. Asimismo, el inglés evoca un episodio de la Biblia (la adoración de los pastores en el evangelio según san Lucas) y otras referencias bíblicas salpican el libro: Melquisedec (nombre del rey de Jerusalén mencionado en el

Antiguo Testamento), el rey de Salem, Urim y Tumim (piedras que lleva el sumo sacerdote de Israel en la biblia hebraica), etc.

Parece que el inglés no es creyente: cuando el jefe de la caravana les pide a todos que juren obediencia al Dios en el que crean, el inglés se queda callado. Sin embargo, es capaz de citar la Biblia. Así, la religión se evoca sobre todo como un anclaje cultural.

El amor y las mujeres

El encuentro entre Santiago y el personaje femenino principal, Fátima, corresponde literalmente a la definición de flechazo:

> «Entonces fue como si el tiempo se parase y el Alma del Mundo surgiese con toda su fuerza ante él. Cuando vio sus ojos negros, sus labios indecisos entre la sonrisa y el silencio, [Santiago] entendió la parte esencial y más sabia del Lenguaje que hablaba el mundo, y que todas las personas de la Tierra eran capaces de entender en sus corazones. Y esto se llamaba Amor, algo más antiguo que los hombres y que el propio desierto y que, sin embargo, resurgía siempre con la misma fuerza allá donde dos miradas se

> cruzaran, como se cruzaron aquellos dos miradas cerca de un pozo».

Este nuevo encuentro podría hacer que Santiago olvidara su Leyenda Personal: podría quedarse en el oasis y afirmar que las pirámides y el tesoro escondido bajo la arena no son más que un sueño irracional. Sin embargo, según el Alquimista, «el Amor no impide en ningún caso que un hombre siga su Leyenda Personal. Cuando eso ocurre, no se trata realmente del Amor, el que habla el Lenguaje del Mundo». Fátima, que representa al Amor, no es un obstáculo para el joven pastor, que volverá al oasis cuando haya encontrado el tesoro.

El género femenino debía estar presente en *El Alquimista* porque, para el autor, la mujer representa «lo sagrado, es la energía [...] la lógica del misterio, de lo incomprensible, del milagro» (Arias 1999, 110). Según las filosofías orientales, lo masculino y lo femenino son indispensables para el equilibrio del universo, y lo cierto es que la vieja gitana a la que Santiago acude al principio de la novela vuelve a aparecer al final, ya que tiene una deuda con ella, una deuda que podría crear un desequilibrio y dañar la Leyenda

Personal del pastor. Sin embargo, cuando le haya entregado la décima parte de su tesoro a la gitana, podrá reencontrarse con Fátima.

LA LECTURA Y LA ESCRITURA

La sencillez del estilo

El estilo de Paulo Coelho se caracteriza por una extrema simplicidad tanto desde el punto de vista de la construcción narrativa como de la sintaxis y el vocabulario.

La trama de la historia es lineal, y en general los hechos se desarrollan de forma cronológica. La única excepción la constituyen dos breves *flashbacks* al inicio de la novela: el encuentro con la hija de un comerciante de telas y el anuncio que hace a su padre en el que le dice que va a abandonar el seminario para viajar.

El vocabulario es accesible. Paulo Coelho emplea pocos términos complejos o especializados. Incluso cuando se refiere a particularidades del islam, emplea un vocabulario cotidiano: el almuecín es llamado «sacerdote», los minaretes son descritos como «altas torres», etc. Las expresiones específicas solo intervienen si lo impone el contexto (por ejemplo, la piedra filosofal).

Los personajes intervienen sucesivamente. El autor introduce cada personaje por separado: cuando aparece uno nuevo, el precedente desaparece. Dicho de otra manera, siempre hay dos personajes en escena, excepto cuando Santiago está con el Alquimista y, juntos, se encuentran primero con los soldados y más adelante con el monje. El autor comenta este aspecto a través de una reflexión de Santiago, que piensa que «si un día escribiera un libro [...] introduciría a los personajes uno por uno, para evitar que los lectores tengan que aprenderse de memoria todos los nombres a la vez».

Paulo Coelho como lector

El Alquimista es una novela con múltiples referencias culturales y teológicas, pero también literarias. Según Gérard Genette (ensayista francés, nacido en 1930) esta escritura revela transtextualidad, es decir, «todo aquello que se relaciona, manifiesta o secretamente, con otros textos» (Genette 1982, 7).

Las numerosas citas y referencias implícitas son indicios que nos muestran a Paulo Coelho como lector. Por ejemplo, en el prefacio, el autor precisa que ha conseguido «rendir homenaje a los grandes escritores que han llegado a alcanzar el Lenguaje Universal: Hemingway [escritor estadounidense, 1899-1961), Blake [poeta, pintor y grabador inglés, 1757-1827], Borges (que también utiliza la historia persa en uno de sus cuentos) y Malba Tahan [pseudónimo del escritor brasileño Júlio César Mello e Souza, 1895-1974], entre otros)».

Además, con la reedición de su novela, Coelho escribe una nota preliminar en la que recuerda lo difícil que fue comenzar a redactar *El Alquimista*. Dice que, cuando miraba por la ventana, un viejo marinero en un barco le recordó a *El viejo y el mar* (1952) de Ernest Hemingway, una novela cuyo protagonista se llama Santiago. Este pensamiento activa el proceso de escritura: «En ese instante mágico, supe que había un libro detrás de estas simples palabras».

La lista de autores citados por Coelho en su prefacio está lejos de ser exhaustiva, y a ellos hay que añadir Oscar Wilde. Cuando aparece por primera vez en la historia, el Alquimista lee un cuento de Wilde que evoca el mito de Narciso, que ya ha inspirado a Ovidio (poeta latino, 43 a. C.-17 o 18 d. C.) por sus Metamorfosis (año 1 o 2 d. C.).

El lugar de la escritura

Coelho le da una gran importancia al libro-objeto y a la lectura, así como a la escritura como símbolo del destino:

- más allá de la literatura, el libro como objeto también se aborda en *El Alquimista*. Santiago, como pastor, solo se desplaza lo mínimo necesario para responder a sus necesidades. Así, aunque su abrigo le resulta pesado cuando hace calor, el pastor no olvida que le será útil cuando caiga la noche. Santiago lee un libro que luego cambia por otro y que le sirve de almohada. Cuando el rey de Salem le aborda, el nuevo libro de Santiago es lo que le sirve de pretexto para entablar una conversación: aunque la lectura es una actividad solitaria, también es un tema de intercambio entre lectores. Este nuevo libro, que comienza con un entierro bajo la nieve, es una obra que Santiago nunca terminará. La abandona en el desierto, ya que representa «un peso superfluo». La Leyenda Personal se vive gracias a señales, no a objetos;

- Melquisedec puede escribir en la arena la historia del joven pastor, incluidas «cosas que nunca le había contado a nadie». Este acto convence a Santiago de que el viejo es realmente el rey de Salem. El Alquimista conoce «toda la ciencia de la Gran Obra» escrita sobre una esmeralda y puede escribirla en la arena del desierto. Es justamente el desierto lo que va a permitir que Santiago acceda al Alma del Mundo;
- a partir del momento en que Santiago se encuentra en África, las personas a las que conoce emplean en varias ocasiones la palabra «Maktub», que puede traducirse por «está escrito» o «es el destino». Entonces, Santiago siente la obligación de descifrar las señales para poder leer y, por tanto, cumplir su Leyenda Personal. El hecho de adoptar para expresar esta idea una palabra no traducida, en una lengua extranjera, la acerca a la fórmula mágica que solo los iniciados pueden comprender, como el Alquimista;

- para salvar su vida, el pastor tiene que hablar el Lenguaje del Mundo, con el fin de poder rezar a «la Mano que todo lo ha escrito», como le aconseja que haga el sol. Por fin puede comunicarse con el Alma del Mundo, que es el Alma de Dios.

Esta visión de la escritura como medio de comunicarse con el Universo se parece al proceso de escritura de Paulo Coelho. Explica que se siente listo para escribir tras un recorrido similar al de un embarazo, «después de haber hecho el amor con la vida» (Arias 1999, 158). Según el autor, de lo que se trata es de compartir algo, y esta es la manera que tiene Coelho de comunicarse con sus lectores.

Esta novela es un verdadero superventas, con más de 65 millones de ejemplares vendidos. Ya se ha traducido a más de una cincuentena de idiomas en 150 países, y se ha planteado la idea de llevarla a la gran pantalla. Más allá del fenómeno editorial, muchos lectores se han visto transformados por la historia de Santiago y han acogido la novela como una invitación a cumplir su propia Leyenda Personal.

PISTAS PARA LA REFLEXIÓN

ALGUNAS PREGUNTAS PARA PROFUNDIZAR EN SU REFLEXIÓN

- En su opinión, ¿por qué la novela se titula *El Alquimista* si en realidad cuenta la historia de Santiago?
- ¿Cuáles son los puntos en común y cuáles las diferencias expresadas en la novela en relación con las distintas percepciones del sueño? En términos más generales, ¿de qué manera los sueños son esenciales en la vida de un individuo?
- ¿Qué papel se le otorga a la mujer en la novela?
- ¿Qué importancia tienen los elementos naturales en la novela? ¿Cuál es su papel y qué mensaje se transmite al lector?
- ¿Cómo se manifiesta lo maravilloso en la obra? ¿Qué le aporta al relato?
- ¿Qué significa el concepto de Leyenda Personal? ¿Qué participa más en el cumpli-

miento de la misma, el destino o la voluntad? Argumente su respuesta.

- El viaje es uno de los temas principales del texto. ¿Por qué Santiago quiere viajar al principio de la novela? Cuando regresa, ¿ha descubierto lo que deseaba?
- A lo largo de todo el relato, Santiago tiene que tomar decisiones. ¿En qué o en quién confía para tomar sus decisiones? En su opinión, ¿en qué medida somos libres a la hora de decidir?
- ¿En qué aspecto es *El Alquimista* una novela iniciática?
- La gitana confía a Santiago que «las cosas simples son las más extraordinarias, y el Alquimista dice que «cuando tenemos grandes tesoros ante nosotros, nunca nos damos cuenta». ¿Qué significan estas frases? ¿Estás de acuerdo con el mensaje que transmiten?

¡Su opinión nos interesa!
¡Deje un comentario en la página web de su librería en línea,
y comparta sus favoritos en las redes sociales!

PARA IR MÁS ALLÁ

EDICIÓN DE REFERENCIA

- Coelho, Paulo. 2009. *El Alquimista*. Traducido por Montserrat Mira. Barcelona: Planeta.

ESTUDIOS DE REFERENCIA

- Arias, Juan. 1999. *Conversations avec Paulo Coelho*. París: éditions Anne Carrière.
- Aron, Paul, Denis Saint-Jacques y Alain Viala. 2010. *Le dictionnaire du littéraire*. París: Presses universitaires de France.
- Brucker, Nicolas. 2003. "Usage et culture du livre de sagesse: L'Alchimiste de Paulo Coelho. Enquête sur les pratiques de lecture des étudiants de l'Université de Metz". *HAL*. Consultado el 2 de febrero de 2018. https://hal.archives-ouvertes.fr/hal-01242325/
- Genette, Gérard. 1982. *Palimpsestes*. París: Seuil, colección *Points essais*.

www.resumenexpress.com

ISBN ebook: 9782806272034

ISBN papel: 9782806272041

Depósito legal: D/2015/12603/532

Cubierta: © Primento

Libro realizado por Primento*, el socio digital de los editores*

Made in United States
North Haven, CT
08 September 2022